EL DESORDEN DE TU NOMBRE

JUAN JOSÉ MILLÁS

DI026605

Colección
LEER EN ESPAÑOL

español

SANTILLANA
UNIVERSIDAD
DE SALAMANCA

La adaptación de la obra *El desorden de tu nombre,*
de **Juan José Millás,** para el Nivel 3 de la colección
LEER EN ESPAÑOL, es una obra colectiva, concebida,
creada y diseñada por el Departamento de Idiomas
de la Editorial Santillana, S.A.

Adaptación: **Isabel Santos Gargallo**

Ilustración de la portada: **Adán Ferrer Rodríguez**

Ilustraciones interiores: **Carlos Puerta Cuevas**

Coordinación editorial: **Silvia Courtier**

Dirección editorial: **Pilar Peña**

© de la obra original, 1988 by Juan José Millás

© de esta edición,
   1993 by Universidad de Salamanca
      Grupo Santillana de Ediciones, S.A.
Torrelaguna, 60. 28043 Madrid
PRINTED IN SPAIN
Impreso en España por UNIGRAF
Avda. Cámara de la Industria, 38
Móstoles, Madrid

ISBN: 84-294-3485-2
Depósito legal: M-4.826-2.005

Quedan rigurosamente prohibidas, sin la autorización escrita
de los titulares del «Copyright», bajo las sanciones estableci-
das en las leyes, la reproducción total o parcial de esta obra
por cualquier medio o procedimiento, comprendidos la repro-
grafía y el tratamiento informático, y la distribución de ejem-
plares de ella mediante alquiler o préstamo públicos.

Juan José Millás nació en Valencia en el año 1946, pero ha vivido siempre en Madrid donde estudió Filosofía y Letras en la Universidad Complutense. Escritor hoy día conocido tanto a nivel nacional como internacional, *recibió en 1974 el Premio Sésamo de novela corta por* Cerbero son las sombras *y ganó el Premio Nadal, de gran tradición en España, en 1990 con* La soledad era esto.

Gran parte del éxito de Juan José Millás se debe muy posiblemente al hecho, desde siempre defendido por el autor, de que «la literatura no es algo cerrado sino un espejo donde también se miran los otros». De esta forma, todos podemos encontrar en las historias de Millás una parte de nosotros mismos, de nuestros miedos y de nuestros sueños. Y, sin duda, el sentimiento que más compartimos con el autor es la soledad, siempre presente en sus novelas.

El desorden de tu nombre *(1988), una de las novelas de Millás mejor recibidas por el público, juega con la idea de la vida real que corre paralela a la vida que nosotros quisiéramos escribir. De esta contradicción nacen la soledad e incluso la muerte.*

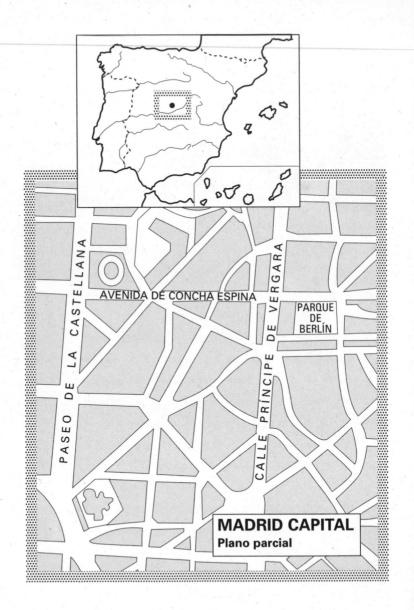

MADRID CAPITAL

Plano parcial

PASEO DE LA CASTELLANA

AVENIDA DE CONCHA ESPINA

CALLE PRÍNCIPE DE VERGARA

PARQUE
DE
BERLÍN

4

I

ERAN las cinco de la tarde de un martes de finales de abril. Julio Orgaz había salido de la consulta[1] de su psicoanalista[2] diez minutos antes; había cruzado Príncipe de Vergara y ahora entraba en el parque de Berlín. Estaba nervioso.

El viernes anterior no había conseguido ver a Laura en el parque, y ello le había hecho sentirse muy mal; tan mal que no había podido pensar en otra cosa en todo el fin de semana que siguió. Aquel sentimiento de horrible soledad[3] le hizo darse cuenta entonces de que lo único que le había importado durante los últimos tiempos era lo que ocurría los martes y los jueves. Recordó la primera vez que había visto a Laura, hacía ahora unos tres meses.

Fue un martes del pasado mes de febrero, bajo el sol de media tarde, después de dejar al doctor Rodó. Cuando volvía a la oficina sintió el olor de la primavera. Se encontró tan bien de repente que decidió cambiar su camino y entrar en el parque de Berlín.

Allí sólo había unas pocas mujeres que habían llevado a sus hijos a tomar el sol. En seguida la vio. Estaba sentada en un banco, charlando con dos señoras. Parecía tener unos treinta y cinco años. Ni su cara ni su cuerpo tenían nada especial. Pero seguramente recordaban a Julio algo antiguo, algo muy profundo, porque en los días siguientes no pudo quitársela de la cabeza. Tenía que volver al parque para ver a aquella mujer.

Volvió. Ella estaba sola. Julio se sentó a su lado y empezó a mirar, más que a leer, el periódico. A los pocos minutos sacó un paquete de tabaco y poco seguro de sí mismo, le dio un cigarrillo. Ella lo tomó sin dudarlo. Empezaron a hablar, de cosas poco originales. Curiosamente, eso daba igual. Lo importante era hablar.

Julio se dio cuenta en seguida de que ya no estaba nervioso; sintió que los dos se comprendían.

Los encuentros se habían empezado a repetir todos los martes y viernes. Julio pensaba que la relación con Laura era algo especial. Se sentía seguro en el parque hablando con ella mientras los niños jugaban, allí lejos. Laura tenía una hija de cuatro años, Inés, que a veces se quedaba delante de Julio mirándole* de manera extraña.

Pero Julio no se había dado cuenta de la importancia que todo aquello tenía para él hasta el último fin de semana, hasta que no había faltado Laura a la cita del viernes.

---

* Hemos respetado en la presente adaptación el «leísmo» de Juan José Millás. El «leísmo» consiste en el empleo del pronombre personal **le** –complemento indirecto– en vez del pronombre **lo** –complemento directo– para referirse a un objeto directo de persona («mirándole» en vez de «mirándolo»). Es un uso propio de las zonas de León y Castilla y está admitido por la Real Academia de la Lengua.

Así que este martes de finales de abril, Julio se acercó al parque lleno de deseo[4] y miedo al mismo tiempo.

—Hola, Laura —dijo sentándose a su lado.

—Hola. ¿Traes el periódico?

Julio le pasó el periódico... No había nadie alrededor y la tarde era tan bonita que la soledad de los meses pasados le parecía un accidente, una casualidad.

—¿Qué pasó el viernes?

—La niña no estaba bien, un resfriado de primavera.

—¿Y tus amigas?

—Han ido al cine con los niños.

Sonrieron. Julio miró a Inés durante un rato, como interesado en sus juegos. La verdad es que, mientras, estaba pensando que las palabras entre él y Laura no eran una conversación. Pero desde lo más profundo de su pecho sentía un deseo, una pasión, nuevos para él o al menos olvidados.

Por eso, aquella tarde, cuando ella le dijo que se marchaba, él se sintió morir.

—No te vayas todavía —dijo—. Estoy muy angustiado[5].

Laura recibió la información con una sonrisa que le quitó un poco de peso al dolor de Julio.

—Se te pasará en seguida —contestó.

Después se levantó y llamó a su hija. Julio se quedó sentado. Laura se volvió hacia él antes de irse.

—¿Vendrás el viernes? —preguntó.

—Creo que sí —respondió Julio.

II

AL día siguiente Julio se levantó enfermo. Se duchó y se sintió un poco mejor. Encendió un cigarrillo. El canario[6], desde la jaula[7], con su canto, le sacó de sus pensamientos. «Creo que tengo fiebre[8]», dijo en voz alta al pájaro. Pero el animal no parecía tener opinión sobre el asunto. Su silencio no le gustó a Julio, que repitió: «Creo que no voy a ir al trabajo». Y como el canario seguía mirándole fríamente, le dijo, ésta vez en voz baja, con un miedo extraño: «Pareces un pájaro pintado».

Después de tomar otro café decidió quedarse en la cama. Observó su mesa de trabajo, donde un escritor imaginario[9] (él mismo) escribía historias maravillosas. Y pensó que quizá la fiebre era buena para escribir.

Llamó a su secretaria.

—Rosa, ¿recuerdas que ayer no me encontraba bien?

—No.

—¿Cómo es posible?

—Es que no sé quién es usted.

—Soy Julio Orgaz.

—Tienes la voz muy rara. ¿Qué te pasa?

—Me muero. Me duele el pecho y tengo fiebre.

—Bueno, llama al médico ahora mismo y acuéstate.

—Si hay algo importante, me llamas.

—Sí, no te preocupes. Creo que podremos vivir sin ti.

—Gracias, Rosa.

—De nada, de nada.

Después cogió una novela[10] que dos años antes le había regalado una mujer —muerta poco después en un accidente de coche— y decidió leerla. Se metió en la cama sintiéndose muy feliz. Pensó en Laura. También pensó en Teresa, la mujer muerta con quien había tenido una historia de amor hasta poco antes de su muerte. Cuarenta años tenía Julio entonces. Sí, por aquellos días era su cumpleaños[11]. A esa edad también se había separado[12] de su mujer y había empezado a ir al psicoanalista.

Se puso a leer, pues, y cuando llegaba al segundo capítulo, se dio cuenta de que al lado del texto había cosas escritas por Teresa. La idea de que de esta manera la mujer muerta le estaba como hablando a él, le produjo[13] un sentimiento de culpa que inmediatamente, sin motivo, se cambió en una gran tranquilidad.

Poco a poco, mientras pasaba las páginas, sentía que le llegaban unos ruidos desde el salón; pero estaba demasiado ocupado en buscar las frases escritas por Teresa y no se paraba a escuchar. Hasta que oyó algo como unos golpes secos. Se levantó, asustadísimo, e intentó gritar: «¿Qué pasa ahí?», pero no le salió la voz. Corrió hacia la puerta de su habitación y miró en el salón. La jaula estaba abierta y el pájaro, asustado, iba de un lado a otro. Por fin cayó en un rincón. Julio se acercó lentamente, lo cogió y lo puso de nuevo en la jaula.

Cansadísimo, se metió en la cama y guardó el libro en el cajón de la mesa para no verlo. Cerró los ojos y trajo a su memoria la cara de Teresa. Cuando sintió que la tenía dibujada, la imagen cambió y en ella Julio vio la cara de Laura. Durante unos momentos las dos caras jugaron a aparecer y desaparecer; la una sobre la otra, parecían dos caras diferentes de una misma persona. Julio lo observó con sorpresa. Quizá era la fiebre: porque los hombres no tenían más de una vida, no recordaba haber creído nunca otra cosa; eso, hasta que había conocido a una mujer llamada Teresa Zagro.

Se había enamorado[14] de aquella mujer como de ninguna otra y con ella había vivido algunas tardes de amor en bares y hoteles. Fue un tiempo raro de felicidad y angustia al mismo tiempo, algo que los dos llamaban amor. La oscura Teresa —porque era una mujer oscura desde los ojos hasta el pelo— despertaba en Julio el deseo de hablar, de pensar, de escribir. A su lado había llegado a sentirse inteligente. Esta inteligencia era seguramente de Teresa, y llegaba a ser de él por los complicados caminos del amor.

Ella llegaba, corriendo, delgada, con diez minutos de retraso al lugar de la cita. Llegaba llena de admiración[15], de amor y lo miraba de tal manera que Julio perdía el interés por las cosas; empezaba a viajar por un mundo que se llamaba Zagro y también Teresa, un mundo en el que el tiempo parecía no tener fin.

Elegían para sus encuentros bares de ancianos o de jóvenes donde él hablaba sin parar, entre besos y caricias[16]. No eran menos felices en los hoteles. Entraban en la pequeña habitación y se quedaban lo más lejos posible de la cama. Allí, de pie, se miraban sorprendidos, como asustados por el deseo que cada uno recibía del otro. Julio alcanzaba el cuello de Teresa con sus manos, que luego bajaban suavemente por debajo del jersey. Entonces llegaban los dos a un mundo donde sólo sus cuerpos tenían sentido. Cada día imaginaban nuevos y complicados juegos amorosos.

Sin embargo, el cuadro no sería completo sin la angustia de Julio. Como aquella tarde de otoño en que Julio había empezado a sentirse tan mal en un viejo bar de abuelitos de café con leche y un vaso de agua. Teresa, que se había dado cuenta de ello, había guardado unos segundos de silencio y le propuso salir. Llovía mucho, una lluvia con olor a primavera, no a otoño. Corrieron hacia el coche de Julio y se metieron en él mojados y felices. La angustia de Julio, ya débil, les acercaba como el fuego acerca a los amantes[17]. La lluvia, cada vez más fuerte, era como una cortina delante de los cristales. Y allí, solos, empezaron a besarse, a reconocerse con los labios, con las manos. Entonces, en el momento de mayor pasión, se miraron a los ojos y Julio vio en los de Teresa una sombra de angustia que juntó con la de él. Teresa dijo entonces: «He visto un hombre raro». Julio miró en seguida hacia los cristales pero no veía nada. La frase quedó en su memoria como perfecta expresión de aquella angustia de Teresa, el precio que pagaba por esos amores fuera del matrimonio.

Así, pues, la angustia y la felicidad eran una misma cosa, hasta que llegó el sentimiento de culpa. Fue el principio del final, los dos se dieron cuenta en silencio.

Estuvieron algún tiempo sin verse. Finalmente, Julio llamó a Teresa al trabajo y quedaron en verse por la tarde. El encuentro fue frío. Julio le dijo que se había separado de su mujer.

—¿Por qué os habéis separado? —preguntó ella.

—Bueno —dijo Julio— fue, más o menos, idea suya.

Se despidieron sin casi besarse. Julio dijo: «Quisiera tener alguna cosa tuya».

Teresa sacó del bolso un libro.

—Toma, no lo he terminado. Creo que ya no me interesa.

Julio llegó a su casa. Colocó el libro y encendió la televisión. «La vida pasará» —se dijo.

Pocos meses más tarde, recibió una llamada de una mujer que dijo ser amiga de Teresa. Quedaron en un bar en el centro de la ciudad y le dijo:

—Teresa ha muerto.

—¿Qué dices? —preguntó él.

–Últimamente Teresa salía con un hombre con quien bebía mucho. La semana pasada, cuando volvían de un hotel de las afueras, tuvieron un accidente en la carretera. Teresa me había hablado de ti y pensé que debías saberlo.

–Gracias –dijo Julio.

Salió del bar sintiéndose muy cansado. Hacía frío y el suelo estaba sucio. De camino hacia su coche, pensó que la muerte de Teresa era el último hecho importante de su vida. Comenzó a oír «La Internacional[18]». La música se acercaba, pero Julio no consiguió saber de dónde venía. Movió la cabeza a uno y otro lado y paró la música.

Durante las semanas siguientes llegó a creerse loco. Le pareció que podía morirse de un momento a otro. Se despertaba por las noches oyendo «La Internacional». Si conseguía pasar un par de días más tranquilo, el tercer día volvía la angustia, peor que nunca.

Pronto comprendió que no se iba a morir. Pero en una ocasión se sintió tan enfermo que llamó a un médico. De éste recibió Julio el consejo que le condujo al psicoanalista. Gracias a esto también había conocido a Laura.

De manera que las cosas parecían tener algún sentido unas con otras. Ahora Julio se divertía recordando las caras y los cuerpos de Teresa y de Laura. Tan distintas e iguales al mismo tiempo. El pájaro ya no se movía en la jaula. Estoy enamorado, pensó. Después cerró los ojos y se durmió con el recuerdo de la mujer del parque.

Laura quería saber si todavía podía sentirse guapa después de las ocho horas de sueño al lado de Carlos. La verdad es que el examen la dejó bastante contenta.

III

LAURA se despertó nerviosa. Antes de levantarse observó durante unos segundos a su marido, que todavía dormía dentro de su pijama arrugado[19] y azul. Llegó hasta el baño y se miró en el espejo para ver cómo era su aspecto por la mañana. Intentaba observarse como con otros ojos, los de Julio exactamente. Quería saber si todavía podía sentirse guapa después de las ocho horas de sueño al lado de Carlos. La verdad es que el examen, en general, la dejó bastante contenta.

Puso el café a calentar y despertó a su marido. Carlos llegó a la cocina con los ojos un poco cerrados.

—¡Qué sueño! —dijo sin conseguir respuesta. Y siguió, después de unos segundos:

—¿Te pasa algo, Laura?

—Nada, ¿por qué?

—No sé. Desde hace algún tiempo te veo nerviosa. No hay manera de acercarse a ti.

—Estoy un poco cansada.

—¿Crees que tienes razones para estar cansada? —siguió preguntando Carlos con una voz amable y fría a la vez.

—Por favor, Carlos, no soy uno de tus pacientes[20].

—¿Tú crees?

Laura miró el reloj y dijo:

—Voy a despertar a Inés.

Después, Carlos se despidió y Laura bajó a la niña al portal. En seguida pasó el coche del colegio y Laura volvió a subir a su casa. Se preparó un café, cogió los cigarrillos y se sentó junto a la ventana del salón, su lugar preferido. Era casi feliz cuando estaba sola, que era casi como estar con Julio.

Empezó a hablar con él en su imaginación: alguien llamaba a la puerta, ella iba a abrir y aparecía Julio. Le preguntaba si estaba sola y ella le decía que sí. Y luego ella le hablaba de su vida desde que se habían conocido en el parque. Le explicaba cómo poco a poco su amor por él había llenado todos los rincones oscuros de su vida. Le contaba cuánto trabajo le costaba esconder esa pasión y seguir con la vida normal de todos los días. Y es que ella, un buen día, se había dado cuenta de que ya no le preocupaban los resfriados de su hija. Y también se había olvidado del cumpleaños de su marido, porque no deseaba otra cosa que vivir esa segunda vida que tenía con Julio.

—Es una vida dura —terminó diciendo en voz alta— , es el duro pero maravilloso precio de la culpa.

Le gustó este final y con él terminó la historia que se estaba contando. Después miró el reloj, habían pasado veinte minutos solamente. Llevada por la costumbre, se puso a limpiar un poco la casa. Cuando llegó a la habitación, decidió acostarse un rato.

Le gustaba su casa cuando estaba sola. Carlos era un extraño que dormía al lado de ella y era también el padre de su hija. A los pocos minutos llegó el deseo. Entonces le hizo un sitio a Julio entre las sábanas y empezó a charlar con él otra vez. Mientras, observaba sus brazos, su pecho, soñando con un encuentro que tal vez no iba a ocurrir nunca. Pronto se quedó dormida. La despertó el teléfono. Era su madre.

–¡Qué voz! No me digas que estabas dormida.

–Es que estoy un poco cansada, –se disculpó Laura.

–Pues, hija, ¿crees que tienes motivos para estar así? ¿Has limpiado la casa?

–Sí, un poco.

–Bueno, tienes que arreglar tus problemas con Carlos. Ayer he estado hablando con tu padre, y estamos los dos muy preocupados. Está claro que no estáis bien.

–No te metas en mi vida, mamá –dijo Laura y colgó.

Se levantó y subió a limpiar la consulta de su marido, que estaba en el piso de arriba. En la puerta decía: «Carlos Rodó, Psicoanalista». Entró y quitó el polvo de la mesa y de los libros. Curiosa, se divirtió un poco mirando los papeles que había en los cajones. Luego se tumbó e imaginó que Julio también era psicoanalista y que ella era una paciente.

De la imaginación pasó al odio[21] y estuvo veinte minutos en él. La razón era su marido. ¡Qué suerte tenía Carlos de tener este sitio para él sólo! Cuando salió del odio imaginó que se quedaba viuda[22]. La llamaban por teléfono del hospital donde trabajaba Carlos y le decían que su marido estaba muy mal. Le había matado un infarto[23]. Se sintió culpable.

Al fin, bajó las escaleras hasta su casa. Abrió el cajón donde tenía escondido su diario[24]. Se sentó y escribió:

Se me ha vuelto a olvidar el café en el fuego. Si no tengo cuidado, un día pasará algo. Ahora vengo de arriba. Allí he estado pensando; y he comprendido que Carlos me ha robado hasta lo último que me quedaba. Porque el dinero que sirvió para pagar esta consulta salió del bolsillo de mi padre.

La culpa no es sólo de Carlos, pero siento que por él lo he perdido todo. Desde que nos casamos toda nuestra vida se ha organizado alrededor de sus intereses. Él es un buen profesional pero yo también tengo estudios universitarios. Y también tuve un trabajo antes de llegar a ser eso que soy ahora, un ama de casa poco amable, amarga. Lo dejé porque me convenció Carlos; porque me gustaba la casa, la familia, etc. Todo es mentira. El parque está lleno de mentiras.

Me he equivocado. He escrito «el parque está lleno de mentiras» cuando quería decir «el mundo está lleno de mentiras». Pero no sé si hablar todavía del parque y de J.

Ayer por la noche, mirando la televisión, empecé a jugar con las palabras. Jugando con «cielo» e «infierno[25]» sale «cifierno» e «inelo», que no quieren decir nada; sin embargo, «arriba» y «abajo» dan «abajo» y «arriba»; y «razón» y «corazón» dan «corazón» y «razón». En fin.

Cerró el diario y lo escondió en el sitio de costumbre.

IV

EL viernes, Julio no se encontraba bien, pero la fiebre había desaparecido y decidió ir al trabajo. No quería estar un día más con su madre en casa. Y es que el miércoles, cuando estaba tan mal, después de la aventura con el pájaro, le habían despertado unos fuertes ruidos en el salón.

—¿Quién anda ahí?

—Soy yo, hijo. No quería despertarte. Te llamé a la oficina para recordarte que mañana es el cumpleaños de tu padre y me dijo Rosa que estabas enfermo.

La mujer entró en la habitación y empezó a poner todas las cosas en su sitio. Mientras, Julio se preguntó por tercera vez en ese mes por qué había tenido la triste idea de darle a su madre una llave del piso. Ella se acercó.

—Estás muy caliente, hijo —dijo—. Supongo que has llamado.

—¿A quién?

—A quién va a ser, al médico.

—No.

Su madre llamó al médico y comenzó a limpiar el piso. El canario se puso a cantar alegremente.

—¿Te preparo un café, hijo?

—Tengo la boca seca como una pared.

—¿Hay naranjas?

—En la nevera.

Le dolía el pecho y la cabeza. Tuvo miedo de no encontrarse bien el viernes, por Laura y por el psicoanalista. Se levantó un poco y volvió la cabeza hacia la ventana. Entonces sonó el teléfono. Su madre corrió a cogerlo y tuvo una corta conversación con la secretaria de su hijo.

Julio cerró los ojos y empezó a escuchar «La Internacional».

Lo peor había ocurrido el jueves a la hora de comer. Su madre le había preparado una sopa, desde la cama podía olerla. Este olor le traía a la memoria antiguos recuerdos, de oscuro cuarto de estar con cortinas de flores, de televisión en blanco y negro, de tristes muebles, horribles recuerdos de vida familiar...

De esta manera Julio empezó a ver a su madre como a una madre falsa, que parecía buena y dulce pero que en el fondo era mala, como venida del infierno.

Y así llegó el viernes, un viernes sin fiebre, pero débil por la enfermedad. Julio se levantó y se duchó. Se afeitó luego y, mientras se calentaba el café, cambió el agua del canario. La lluvia del día anterior había desaparecido. En la oficina recibió tres llamadas. Una de ellas, de su ex mujer, quien le dijo que el niño necesitaba verle:

—Parece que no tiene padre —dijo.

Julio dijo que todavía estaba enfermo y que sólo había ido a la oficina por un asunto urgente. A las doce, Rosa le pasó un café con leche y una aspirina.

A la una le llamó el director. Quería decirle que estaba muy contento de su trabajo y que le había propuesto para un nuevo puesto[26]. Luego le habló de un original[27] de cuentos[28]. «Creo que es muy bueno» —le dijo.

—¿Cómo se llama el autor? —preguntó Julio.

—Orlando Azcárate.

Julio volvió a su despacho[29] y estuvo unos minutos sin hacer nada. Estaba contento por la noticia que le había dado el director; sin embargo, no se encontraba tan alegre como imaginaba cuando soñaba con llegar a ese importante puesto. Más feliz se sentía pensando que esa tarde iba a ver primero a su psicoanalista y después a Laura. El tiempo no pasaba. Entonces, tomó el original de Azcárate y comenzó a leer el primer cuento: *El Concurso*[30]. Se contaba en él la historia de un escritor que un día imagina un plan perfecto para matar a su mujer haciendo creer a todos que ésta se ha suicidado[31]. Como no consigue llevar su crimen a la realidad, el escritor decide utilizar la idea de otra manera: escribiendo un cuento policiaco que empieza ese mismo día y termina en dos semanas de trabajo. Se lo enseña a su mujer, para herirla. Pero la mujer, en vez de tirarle el cuento a la cabeza, le dice que lo presente a un famoso concurso literario; y eso hace el escritor. Poco tiempo después, su mujer se mata exactamente de la misma manera que la mujer del cuento. El escritor comprende el peligro en seguida: si gana el concurso, todos creerán que él ha matado a su mujer. Así que escribe urgentemente para comunicar que ya no se quiere presentar y pedir su original. Después de unos días de angustiada espera, recibe una corta y amable respuesta: es demasiado tarde; el jurado[32] ha empezado a leer los trabajos; puede intentar de todas maneras hablar con el presidente del jurado, que tiene el cuento en sus manos. El escritor siente que todo ha sido inteligentemente pensado. Intenta olvidar su miedo y consigue una cita con el presidente del jurado. Éste le dice que ya ha leído el cuento: le ha gustado muchísimo, es el mejor trabajo de todos, pero ya no lo tiene él; se lo dio a la secretaria, que lo debe enviar a los miembros del jurado. El escritor lo mata y entonces empieza el horror: el autor del cuento tiene que matar uno a uno a todos los miembros del jurado puesto que cada uno de ellos dice haber leído el cuento y haberlo pasado a un compañero. Todos le dicen, antes de morir, que les ha parecido un trabajo estupendo.

Julio dejó el libro en este momento y levantó la mirada al techo. La historia le recordaba otra parecida, pero era interesante y estaba muy bien escrita. Prefirió no leer el final convenciéndose de que no podía ser tan bueno como el principio, pero sintió algo de envidia[33].

V

HE estado enfermo estos días y todavía no me encuentro bien. Pero mi madre quería quedarse en casa para ocuparse de mí; por eso he decidido levantarme. La verdad es que no quería faltar a esta cita ni a la otra que tengo después con una mujer.

»El director de mi oficina me ha propuesto para un nuevo puesto, al fin lo he conseguido. Es extraño pero la verdad es que casi me da igual.

»En otras ocasiones le he hablado de mi deseo de llegar a escribir, todavía pienso en ello. Es curioso, pero nunca he escrito más de veinte páginas seguidas y, sin embargo, soy un hombre importante en una gran editorial[34]. Yo decido lo que se debe publicar. Los otros tienen la obra y yo tengo el poder[35]. Lo peor es que no cambiaría una cosa por otra. Sueño todavía con tener las dos al mismo tiempo pero me parece que no es más que un sueño. Quizá por eso la noticia de esta mañana no me ha hecho sentirme tan contento como creía. He pensado en todo esto durante la comida. En fin...

»Si Teresa no... pero Teresa ha muerto. Al lado de ella, sí me sentía buen escritor. El caso es que conozco a otra mujer de quien no he hablado todavía.

»El miércoles pasado, mientras leía una novela que Teresa me regaló el último día que nos vimos, el piso se llenó de algo extraño, pero cierto. Entonces el canario salió de su jaula y empezó a darse golpes contra las paredes.

»Teresa y Laura –Laura es el nombre de la mujer de quien he hablado antes– parecían una misma persona en mi imaginación. Recuerdo ahora que una de las primeras veces que vi a esta mujer, a Laura, sentí que venía a mí desde el otro lado de las cosas. Y desde que he comprendido esto, soy un poco diferente. Esta misma mañana, en el despacho, he empezado a escribir un cuento policiaco bastante bueno, me parece. Es de un escritor que mata a su mujer; bueno, no la mata pero de todas maneras, tiene que pagar por ello. En fin...

Por otra parte, quería decirle que he vuelto a escuchar «La Internacional». Desde luego, por lo que cuento aquí, seguro que le parezco bastante loco. Y sin embargo, soy alguien en la vida. Pero ser alguien, tal vez, era escribir, era escribir.

Por mi trabajo he leído muchos libros y a todos les pasa lo mismo que a la vida: sólo describen parte de las cosas. Los escritores creen conocer la novela de su vida, pero lo cierto es que casi no saben nada de la mujer que duerme a su lado.

»Tengo en la cabeza una novela donde las cosas que ocurren y las cosas que no ocurren son un sólo cuerpo, una misma historia. El problema será escribir sobre las cosas que no sé y hacerlo sin necesidad de conocerlas.

»Muchas veces me veo a mí mismo escribiendo esa historia. Estoy sentado en casa, sin hacer nada o mirando la televisión. Entonces empiezo a imaginarme en mi mesa de trabajo. Escribo una historia, y en ella, lo que sé y lo que no sé toman la forma de un libro que justifica[36] mi vida.»

El doctor Rodó habló por primera vez:

—¿Por qué desea que todos le quieran y le admiren?

—Porque es la única manera que tengo de esconder el profundo desprecio[37] que siento por ellos. Pero la verdad es que desprecio en ellos los aspectos que no me gustan de mí, por eso me imagino escribiendo, porque consigo un cambio en mí mismo. Me siento libre de la angustia y al mismo tiempo distinto de los otros.

»Yo no escribo, pero qué diferencia hay entre escribir una novela e imaginarse escribiéndola. ¿Ese otro que escribe no dice que yo estoy aquí con usted? ¿No contará, después, mi encuentro con Laura? ¿No ha hablado ya de Teresa y de su muerte?

»Es más, ese escritor es quien sabe las cosas que yo no sé, pero que son parte de mi vida.

»Además, la relación entre ese escritor y yo puede cambiar en el momento menos pensado. Me puedo levantar un día y empezar a ocupar su sitio en mi mesa de trabajo.

»Pienso que ese escritor es quien va a matarme...»

Observó que el doctor no llevaba la camisa muy limpia y que el poco pelo que tenía por detrás, bastante sucio también, era demasiado largo. Con este pobre aspecto Rodó ya no le parecía su psicoanalista.

VI

CUANDO salió de la consulta del doctor Rodó, la primavera había empezado. El sol, los árboles, todo tenía luz y color. Parecía que la vida podía seguir siempre así de alegre. Sin embargo no conseguía sentirse tranquilo. Le parecía que tenía fiebre y sobre todo estaba enfadado consigo mismo. En la consulta había hablado de Laura, de esa una parte de su vida que nadie había conocido hasta entonces. Además, allí, en la puerta de la consulta, en el momento en que se despedían, había sentido de repente algo parecido a lo que había sentido oliendo la sopa de su madre el jueves anterior. Se dio cuenta por primera vez de varios detalles desagradables. Observó que el doctor no llevaba la camisa muy limpia y que el poco pelo que tenía por detrás, bastante sucio también, era demasiado largo. Con este pobre aspecto Rodó ya no le parecía su psicoanalista sino uno más de todos esos hombres que él despreciaba.

Entró en el parque y miró la luz, los árboles. Un recuerdo de su memoria más oscura —mal cerrada sin duda— se rompió. Podía verse a sí mismo, unos años atrás, de la mano de un niño —su hijo—. Entonces, de algún lugar del parque empezó a venir también una música familiar. Hombres y mujeres cantaban «La Internacional». Sintió en su corazón la alegría de los viejos tiempos, cuando él cantaba también.

Vio a Laura, ella estaba de pie y venía hacia él. La música se hizó más débil. Llegaba vestida de colores, los labios y los ojos pintados y con una gran sonrisa. Cuando la vio, volvieron a su memoria las tardes con Teresa.

—Vámonos de aquí, he dejado a la niña con mi madre.

Durante unos segundos, Julio se dejó llevar por la imaginación y se vio sobre su mesa de trabajo describiendo este encuentro.

Salieron del parque y llegaron hasta el coche de Julio, que estaba aparcado cerca.

—¿Vamos a mi casa? —preguntó él.

—No sé, estoy nerviosa. ¿Vives solo?

—Claro —respondió él.

—Sí, vamos. Es el lugar más seguro para mí.

Julio empezó a conducir. Estaban callados. Llegaron a la casa de Julio y tomaron el ascensor. En el piso, oscuro ya a esa hora de la tarde, hacía un frío propio de los primeros días del mes de mayo. Julio cerró la puerta y dejó el original de Orlando Azcárate sobre la mesa. Después dijo:

—Hace un poco de frío.

Laura había cruzado el salón en dirección a la jaula del canario, que estaba al lado de la ventana. Le dijo un par de palabras amables. Mientras, Julio fue al cuarto de baño, donde se miró en el espejo. Allí delante imaginó una historia: Un soltero lleva a su casa a una mujer casada; la deja en el salón, y disculpándose, entra en el baño y se suicida. Después de esperar un rato, la mujer intenta entrar en el baño, pero la puerta está cerrada por dentro. La mujer piensa que le ha dado un infarto y sale de la casa. Esa noche, mientras su marido duerme a su lado, se da cuenta de que ha olvidado el bolso en el piso del amante. Entonces se levanta, entra en su baño y se suicida.

Julio volvió al salón donde Laura miraba algunos libros. Preparó un café y se sentaron a tomarlo en el sofá.

—Los dos estamos arrepentidos[38] de haber llegado hasta este punto. Los dos tenemos miedo —dijo Julio.

—Yo no —respondió Laura sonriendo.

—¿No qué? —preguntó Julio.

—No estoy arrepentida, pero sí tengo miedo.

—¿Miedo de qué?

—Miedo de que no sé nada de ti.

En este momento, el pájaro cantó.

—Es raro —dijo Julio—, normalmente este pájaro no canta a esta hora.

Después se levantaron y empezaron a besarse. Era como correr por un pasillo oscuro hacia la felicidad total, para perderse en el silencio de la pasión. Sin embargo, todavía le llegaba a Julio la voz de ella que preguntaba:

—¿Quién eres tú?

Julio se imaginó a sí mismo sobre su mesa de trabajo escribiendo la novela de su vida, y respondió:

—Yo soy el escritor que nos escribe.

El pájaro volvió a cantar y Julio empezó a quitar la ropa a Laura. Ella se dejaba acariciar y preguntaba ahora quién era, pues parecía no reconocerse a sí misma, no reconocer su propio cuerpo. La pasión debilitó las piernas de los amantes y cayeron al suelo.

Cuando volvieron al mundo se miraron en silencio. Cada uno parecía querer reconocer al compañero de aquel raro viaje. Después habló Laura.

—Siempre me he preguntado por qué los martes y los viernes.

Julio sonrió, se acercó a Laura, cruzó sus piernas con las de ella, y dijo:

—Los martes y los viernes voy a un psicoanalista que tiene la consulta en Príncipe de Vergara, muy cerca del parque.

Completamente ocupado en sí mismo, no vio la sorpresa en los ojos de Laura ni sintió la angustia que había en su pregunta:

—¿Cómo se llama?

—Rodó, Carlos Rodó. ¿Por qué?

—Es que yo vivo en Príncipe de Vergara y tengo un vecino psicoanalista. Pero no es ése.

—Pues me cambiaré al tuyo. Podemos organizar citas en el ascensor.

Con voz suave ella siguió:

–¿Y le hablas de mí a tu psicoanalista?

–Nunca –respondió Julio–, nadie sabe nada. Tú vienes del otro lado de las cosas, y gracias a ti puedo comunicarme con ese lado de la vida. Hablar de nuestro amor sería como matarnos a los dos.

Callaron los dos bajo el peso de estas palabras. Pasados unos minutos, ella le dijo:

–Prométeme una cosa.

–¿Qué cosa?

–Que nunca le hablarás a nadie de mí, a tu psicoanalista tampoco. ¿De acuerdo?

–De acuerdo.

VII

CARLOS Rodó se despertó a medianoche con la boca seca. Las anfetaminas[39], pensó.

Su mujer, a la derecha de él, dormía boca arriba. La miró lentamente. Sólo era un cuerpo. Podía ser Teresa, por ejemplo, la amante de un paciente suyo, muerta en accidente. Pero también podía ser su propia mujer, Laura, una Laura diferente. Una Laura como aquélla de quien le habla Julio Orgaz, un hombre sin memoria que siempre cree que habla de ella por primera vez. Es cierto que hasta hoy no había dicho su nombre, pero no es menos cierto que durante las últimas semanas ha dado muchos detalles; y yo tenía que haber adivinado quién era esa Laura, Laura...

Se levantó en silencio y fue a la cocina, donde se sentó a pensar delante de una botella de agua fría. Lo primero que tenía que hacer era dejar a ese cliente, y luego organizar su vida: hacer en ella un sitio para Laura, ver otra vez a su mujer como la veía ese Julio Orgaz.

Luego tenía que explicarse a sí mismo qué le había pasado con aquel paciente. Seguro que ese hombre, en el fondo y sin darse cuenta de ello, sabía quién era Laura; y amándola quería sencillamente ocupar el sitio de su psicoanalista, que es el deseo de todos los pacientes. Pero él, Carlos Rodó, ¿por qué había aceptado esa situación? ¿Porque en el fondo le gustaba, quizá? ¿Porque estaba tan loco como su paciente y la historia del otro era la suya misma?

El agua estaba demasiado fría. Miró a su alrededor, los muebles de cocina, la nevera, el cuadro en la pared... En fin. Qué vida. Se levantó despacio, salió de la cocina y cruzó el salón sin encender la luz. Entró después en el pasillo, y se paró en la habitación de su hija, que tenía un pie fuera de la cama. Le colocó la sábana, y fue al baño, donde se tomó un par de pastillas[40] para dormir.

Volvió a la habitación y se acostó al lado de Laura. La cogió entre sus brazos, cerró los ojos y así entró en el mundo de la noche, sin luz ni paredes.

VIII

AQUEL sábado la radio le despertó a la hora de siempre. Julio la apagó e intentó coger el sueño otra vez, pero el recuerdo de la tarde anterior estaba todavía en su memoria. Recordó que había leído a Laura una de las historias de Orlando Azcárate, después de decirle que el autor del libro era él.

A Laura le había gustado mucho. Se había reído con él (como se reía Teresa con las historias que Julio le contaba) y le había felicitado.

Ahora, con el recuerdo del amor, no sabía si la historia era buena o mala. Como todavía era pronto y pensaba que tenía por delante un largo fin de semana sin ver a Laura, cogió otra vez el original. Encontró otro cuento de Orlando Azcárate, *La vida en el armario*, y empezó a leerlo sin ganas. Cuando le empezó a gustar demasiado, se puso de mal humor y cerró el libro. El sábado se anunciaba difícil. Decidió levantarse de la cama y darse una ducha.

Después, cambió el agua del canario, se preparó un café, y se sentó. No tenía fiebre, pero todavía se encontraba mal. Sonó el teléfono.

—¿A qué hora vienes a buscarme? —preguntó su hijo.

Julio pensó unos segundos y, finalmente, contestó:

—Estoy enfermo, hijo. He estado toda la semana resfriado y todavía tengo fiebre. Otro día, ¿de acuerdo?

—A mí me da igual —contestó la voz del niño, una voz que Julio casi no conocía—. Es por mamá.

—¿Qué le pasa a mamá?

—Pues lo de siempre, que dice que parece que no tengo padre y esas cosas.

—¿Está ahí tu madre?

—No, ha bajado a comprar pan.

—¿Y tú qué piensas de eso que dice tu madre?

—A mí me da igual.

—¿Te da igual no tener padre?

—Pues sí, para lo que sirve un padre...

—Bien, hijo —contestó Julio con dificultad—, tenemos que hablar de eso. Otro día, ¿vale? Dile a mamá que estoy enfermo y que ya la llamaré la semana que viene.

Cuando colgó, sintió que le había subido calor a la cara. Se preguntó si quería a su hijo. Sabía que lo había querido como se quiere la parte más débil de uno mismo. Pero —desde la separación de su mujer—, había empezado a ignorarle[41] como se ignoran algunas cosas a cierta edad.

Se sintió débil frente al sábado, frente al fin de semana, frente a los años que le quedaban por vivir. Entonces pensó que su vida era como un árbol. Imaginó que tenía poder para cortar las ramas[42] que no le gustaban: la rama de su matrimonio, o aquella otra de su deseo de ser escritor. Dejaba la rama de Teresa, que ahora era Laura.

El pájaro empezó a cantar; Julio se levantó de donde estaba y fue hacia su mesa de trabajo. Escribió la idea del árbol. De ahí se podía sacar una buena historia para un cuento, mucho mejor que las de Orlando Azcárate. Empezó a sentirse fuerte y siguió escribiendo *El árbol de la ciencia*, pues ése iba a ser el título del cuento. Después de tres páginas, se sintió cansadísimo. Se levantó y fue al sofá donde siempre se sentaba para leer o ver la televisión. Desde allí, con los ojos abiertos, anduvo hacia el parque de Berlín, hacia un encuentro imaginario con la mujer que el día anterior había estado entre sus sábanas. Cuando llegó a la plaza de Cataluña, el Julio imaginario era ya para el Julio real el personaje de una historia de amor complicada. Moviendo un poco la cabeza, miró su mesa de trabajo, su silla vacía y se imaginó sentado en ella, describiendo las dudas apasionadas de su personaje. De repente sonrió; había tenido una nueva idea: la chica que le esperaba era la mujer de su psicoanalista. Ahí, ahí, había una novela. Se levantó, pues, y sintiéndose fuerte otra vez, se sentó a escribir. Sólo había escrito media página cuando sonó el teléfono.

—¿Eres tú, Julio? —preguntó la voz de Laura.

—Sí, soy yo, soy yo... Laura, Laura, eres tú. Pensaba que no iba a poder esperar hasta el lunes sin verte o sin hablar contigo al menos —dijo Julio.

–Escucha –dijo ella–, tengo muy poco tiempo. No quiero que nos veamos en el parque, puede ser peligroso. El lunes, si tú quieres, iré a tu casa por la tarde.

–¿A qué hora? –preguntó Julio.

–¿A las seis?

–A las seis. Estaré aquí.

–Adiós, tengo que colgar.

–Adiós, Laura.

Julio se quedó unos minutos de pie, como dudando de si había soñado. Después, volvió a leer lo que había escrito y decidió que, sin ser mucho, era un buen principio de una buena novela. Se había ganado un descanso. Seguro de sí mismo, cogió de nuevo el original de Orlando Azcárate; venía la dirección y el teléfono. Llamó:

–Don Orlando Azcárate, por favor.

–Soy yo, ¿quién es?

–Soy Julio Orgaz, de la editorial. Ya sé que es sábado pero, ¿nos podríamos ver hoy mismo para hablar sobre su libro?

Quedaron a las dos y media en un restaurante caro, elegido por Julio. Eran las doce.

Llamó al restaurante y pidió una mesa para dos.

IX

Estaba en el restaurante, esperando la llegada del joven escritor. Su retraso empezaba a enfadarle. Pidió una copa. Se puso a pensar en la historia de su novela imaginaria. No sabía cómo terminarla. Había, en principio, las siguientes posibilidades:

a) El paciente habla a su psicoanalista de la mujer que ha conocido en el parque, y el psicoanalista, finalmente, se da cuenta de que es su propia mujer. En tal caso, los dos amantes –que ignoran cuál es la situación exacta– quedan en poder[35] del psicoanalista.

b) El psicoanalista no sabe que la mujer del parque es su mujer. Pero el paciente y la mujer, hablando de sus vidas, se dan cuenta. Aquí, el psicoanalista es la persona que queda en poder de los amantes.

c) Los tres se dan cuenta de lo que está pasando, pero cada uno de ellos piensa que los otros no lo saben. En este caso, todos creen tener un poder que en realidad no tienen.

d) Ninguno de ellos sabe lo que está pasando; viven ignorando que la historia puede tener un final malo para los tres; y que la casualidad –y el escritor, quizá– decidirán por ellos este final.

Apareció el camarero acompañado de un hombre delgado, de unos treinta años, Orlando Azcárate. Éste se sentó sin pedir disculpas por el retraso y eligió los platos más caros de la carta. Para beber, agua mineral.

Julio, por su parte, había tomado un whisky durante la espera y pidió para acompañar su comida una botella de vino.

—Es una pena —dijo— acompañar esa carne con agua mineral.

—Lo siento, no bebo alcohol —contestó con sencillez el joven escritor.

—Bien, hemos leído su libro —dijo al fin Julio—. Tenemos diferentes opiniones en la editorial. Es más, yo, que normalmente no leo los originales, he tenido que leer éste antes de decidir si lo publicaba o no.

—¿Y qué ha decidido?

—La verdad es que todavía no lo he decidido —dijo para ganar tiempo—. Tenía interés en conocerte. Puedo hablarte de tú, ¿verdad?

—Yo no tengo nada que ver con la literatura que escribo. Para decidir sobre la publicación de un cuento no veo qué importancia puede tener el conocer en persona a su autor ¿Es así como hacen normalmente en su editorial?

—Normalmente no. Pero si es un escritor joven...

—Ya... —contestó Orlando Azcárate, y siguió comiendo.

—¿Quieres postre o café?

—Postre —contestó el joven escritor.

Julio pensó en matar a Orlando Azcárate y en publicar luego su libro con su propio nombre. Pero ya no era posible; el libro había pasado por la editorial. Sin embargo, la idea de matar le había hecho sentirse más tranquilo. Entonces dijo al joven escritor que él también escribía.

–¿Y por qué no publica algo? –preguntó con sencillez Orlando Azcárate.

–Lo haré en seguida –dijo–, dentro de un año o dos. Estoy trabajando en una historia muy complicada. Julio le contó entonces su historia sobre el psicoanalista, la mujer y su amante.

–Es un buen vodevil[43] –contestó sonriendo el joven escritor.

–¿Cómo dices?

–Pues eso, creo que es una buena idea.

En ese momento se acercó el camarero y preguntó si alguno de los dos era don Orlando Azcárate.

–Soy yo –dijo el joven escritor.

–Tiene una llamada de teléfono.

Cuando se quedó solo, Julio comprendió que se había puesto nervioso de la manera más tonta y que no había sabido estar en su lugar. Pidió otra copa y sintió odio hacia Orlando Azcárate.

Antes de despedirse, Orlando Azcárate dijo:

–Mire, señor Orgaz, yo no bebo ni fumo. Necesito muy poco dinero para vivir. Tengo todo el tiempo para escribir, y no tengo prisa. Sé que lo hago bien y que si su editorial no publica mi libro, otra lo hará. No intente ayudarme, no lo necesito. Si cree que *La vida en el armario* tiene interés, publíquelo sin pensar en nada más; y si no le parece interesante, me llevo el original y ya está.

Julio pagó y salieron. Se despidieron y Julio empezó a andar. Entró en un bar donde pidió un café y un whisky. Decidió que no iba a publicar el libro de Azcárate.

Cuando llegó a su casa, el piso le pareció demasiado tranquilo. El sol entraba por la ventana pero olía a sopa. El pájaro callaba. Se puso una copa, encendió la televisión y se dejó caer en el sofá. A los pocos minutos, se levantó, se puso otra copa y empezó a pasear nerviosamente por el salón. Se imaginó escribiendo esa historia que Orlando Azcárate había llamado vodevil. Cuando el paciente comprende que se ha enamorado de la mujer de su psicoanalista, decide matarle con la ayuda de ella. Es un crimen sencillo e interesante. No era un vodevil, era una historia fuerte, que ya estaba viendo bastante clara en su cabeza.

La idea le tranquilizó, pensó en empezar a escribir en ese momento, pero decidió que primero iba a dormir unas horas. Así luego, por la noche, se iba a encontrar mejor para ponerse a trabajar.

X

AQUEL domingo, Laura se despertó a las seis de la mañana. Su marido dormía pesadamente. Con cuidado puso un pie en el suelo y sin hacer ruido salió de la habitación.

Tenía unas horas para estar sola. Hizo café y con la taza salió a la terraza. La ciudad todavía dormía. El sol empezaba a levantarse por detrás de los edificios. Después entró en el salón y sacó su diario. Encendió un cigarrillo, terminó el café y empezó a escribir:

He buscado tu casa desde mi terraza. He llegado a la ventana del salón de tu piso. El canario dormía.

Todavía no he hablado de ti. Tengo miedo de hacerlo. He empezado a hacerte un jersey que nunca te regalaré. Sin embargo, podré imaginarte con él. Me he levantado pronto para estar sola, para estar contigo. Sólo estoy bien cuando estoy sola. Ahora que todos duermen, yo, más que despierta, te miro. No debo escribir esto. No, no debo.

En realidad, he abierto el diario para escribir que «amor» y «sexo» da «semor» y «axo»; «Príncipe de Vergara», «Vércipe de Pringara»; «Julio mío», «milio Juo». «Atoria hismorosa», por su parte, es el resultado de «historia amorosa» y «alirio demoroso» viene de «delirio[44] *amoroso».*

Escuchó un ruido en el pasillo y escondió rápidamente el diario.

—¿Estás aquí? —dijo Carlos.

—No podía dormir —contestó Laura.

Carlos se sentó en el sillón.

—¿No crees que debemos hablar?

—¿De qué? —contestó.

—De nosotros, Laura, de nosotros...

—No sé, qué pasa.

—Mírame, por favor.

Laura levantó los ojos del jersey que estaba haciendo. Y vio un hombre con poco pelo, vestido con un pijama arrugado que ella misma había comprado para él; sin duda le olía mal la boca.

—¿Puedes dejar eso que estás haciendo un momento?

—No, no puedo.

—Está bien, Laura. Está claro que no quieres hablar, ya veo que te da igual lo que pasa con nosotros.

—A mí no me pasa nada, yo estoy bien —dijo ella.

—No podemos hablar —dijo él.

—Yo estoy bien.

—Yo no, Laura. Yo no.

Laura se dio cuenta de que ese extraño, su marido, la miraba con amor. Y por un momento, apareció en su memoria el recuerdo de un Carlos más joven, de quien ella había estado enamorada.

—Tú tienes tu vida —dijo—, tu trabajo. Pero yo no tengo nada. He estado durante años limpiándote los zapatos y la casa, preparando cenas para tus amigos y ocupándome de nuestra hija, que parece que es sólo mía. O sea, que déjame tranquila, déjame tranquila, por favor. Quiero estar sola.

Carlos cayó otra vez en un silencio triste.

Durante el desayuno Carlos les dijo a la niña y a ella que podían pasar el día los tres juntos en el campo.

—Es primavera —dijo Carlos—. Un compañero me invitó a comer a su casa, en el campo.

—¿Cuándo te hizo la invitación? —preguntó Laura.

—El viernes, me parece.

—¿Y lo dices ahora? Me parece muy mal. Bueno, mira, iros la niña y tú, porque yo he pensado guardar la ropa de invierno en los armarios y sacar las cosas de verano.

—Pero mujer, yo te ayudo, lo hacemos entre los dos, y a mediodía podemos estar en la carretera. Te vas a aburrir todo el día sola.

—No, no, estas cosas las hago mejor yo sola. Y si acabo pronto, me acercaré por casa de mis padres. Hace días que no los veo.

Carlos no dijo nada más y Laura se quedó sola en casa. Poco después sonó el teléfono. Era su madre. Laura la escuchó hablar una vez más sobre ella y Carlos. «¿Cómo pude —dijo Laura en voz alta— desear esta clase de vida algún día?»

De repente, el domingo le pareció largo, y sintió no estar con su marido y con su hija. Eran las once y media. Fue a la cocina y empezó a limpiar los platos del desayuno.

Cuando acabó con los armarios, todavía no eran las dos de la tarde. Supo entonces que iba a llamar a Julio por teléfono. Pensó con miedo que quizá no iba estar en casa. Pero en este mismo momento llamó él. Habló con ella unos minutos imposibles de olvidar. Le propuso ir a su piso, comer allí con él, charlar, etcétera.

Laura dijo que sí. Cuando iba a salir, llamó a su madre.

—Mamá —dijo— voy a comer con una amiga y estaré con ella toda la tarde. Si llama Carlos, dile que he estado con vosotros.

Comieron despacio, hablaron de sus vidas. Laura llevaba un jersey negro, abierto sobre el pecho. La mirada de Julio estaba llena de deseo. La tarde caía.

XI

AQUEL encuentro era como un regalo. Laura estaba feliz mientras miraba a Julio colocar la mesa. Julio sabía cómo hacer ese tipo de cosas, tenía un pasado. Julio tenía un pasado, mientras que ella sólo tenía vida dentro de ella misma.

—¿Qué es tu marido?

—¿Y tú?

—Yo soy editor. ¿Y tu marido?

—Mi marido, ingeniero.

Comieron despacio, hablaron de sus vidas. Laura llevaba un jersey negro, abierto sobre el pecho. La mirada de Julio estaba llena de deseo. La tarde caía.

—¿Quieres café?

—Sí —respondió ella, como desde lejos, como contestando a otro y a una pregunta diferente. Se pasaba la mano por el pelo exactamente como lo hacía Teresa Zagro.

Entonces, él se levantó y tomándola del pelo la llevó a la habitación. Laura pensó en su madre, en su hija, en su marido, en que era domingo. Pero la realidad estaba lejos para ella. Julio le daba golpes. Su cara había cambiado, era dura, pero ella no sintió miedo. Comprendió en seguida que todo era un juego. Los golpes, lejos de doler, le traían el agradable recuerdo de antiguos sueños y de películas prohibidas. Ya en la cama, Julio volvió a ser el de siempre, se ocupó del tabaco y de las copas; y si no preparó café, fue porque ella no quiso tenerle lejos.

—¿Cómo te encuentras? —preguntó.

Ella —sin responder— se escondió en el cuerpo de Julio. Mientras hablaban, el canario empezó a cantar.

—¿Sabes?, me ha sorprendido que tengas un canario.

—La verdad es que el canario y yo no somos muy buenos amigos —dijo él sonriendo.

El canario cantaba tan alto que casi no podían hablar. Laura sintió algo raro. Seguía siendo domingo y por una ventana entraba una luz de primavera, pero Julio estaba nervioso. Se había levantado y parecía escuchar algo.

—¿Qué oyes?

—«La Internacional» —dijo—, el pájaro está cantando «La Internacional».

Fue al salón y golpeó la jaula para parar el canto. Pero el animal seguía, cada vez más fuerte. Con verdadero odio, Julio abrió la puerta de la jaula y cogió el pájaro. Lo sacó de la jaula y miró aquella cabeza en su mano. Durante unos segundos se observaron los dos duramente. De repente, el cuello del animal se quedó blando... Estaba muerto.

—¿Qué pasa? —preguntó Laura desde la habitación.

Julio volvió del salón con el canario muerto en la mano y se quedó un rato de pie, mirando a Laura.

—Un infarto —dijo—, se ha muerto de un infarto.

—Lo tienes cogido muy fuerte —observó ella.

—Ha sido el corazón —repitió él.

Laura no contestó; como tímida de repente, quiso esconder sus pechos detrás de la sábana. Julio se dio cuenta y después de colocar el animal muerto sobre el original de Orlando Azcárate, que estaba en una mesita al lado de la cama, tiró nerviosamente de la sábana.

—Vístete —dijo él.

Cuando Laura estuvo medio vestida, Julio volvió a acercarse a ella y entonces apareció otra vez el deseo entre ellos, después el amor.

Luego, buscando sobre la mesa los cigarrillos, Julio tocó el animal muerto y sintió, más que el frío de la muerte, el frío de la vida. Se levantó, cogió el animal y lo tiró a la basura.

—Sería estupendo poder hacer desaparecer así a algunas personas —dijo mientras volvía.

—¿Y a quién te gustaría hacer desaparecer?

—A tu marido, por ejemplo.

Laura no contestó. Empezaba a sentir el peso de la culpa; ya no se sentía ni cómoda ni alegre. Empezó a vestirse.

—Nos veremos mañana —dijo él.

—No sé, te llamaré.

Laura salió a la calle, hacía calor. Pensó en su marido, en su hija. Cuando llegó a López de Hoyos, y al levantar el brazo para parar un taxi, se sintió bonita e inútil.

XII

AQUEL día Carlos Rodó tenía una cita importante. Salió del hospital a las once y llegó a las once y veinte a una cafetería donde le esperaban dos hombres de edad media, un poco mayores que él.

Éstos y su grupo habían propuesto el nombre de Carlos para ser director de todos los centros de salud de la ciudad o algo parecido. Era un puesto muy importante, algo con que Carlos Rodó soñaba desde hacía tiempo. Para conseguir la ayuda del grupo y ser elegido tenía que hacer un par de cosas feas a compañeros suyos, pero él no podía decir que no. Eran detalles, la importancia del asunto los justificaba.

Cuando se despidieron, Carlos Rodó cogió su coche y cruzó la ciudad en dirección a Arturo Soria. Tenía una cita con su psicoanalista. No le había vuelto a ver desde hacía siete años.

Los primeros minutos del encuentro fueron sencillos. Después, Carlos Rodó le habló de su nuevo puesto de trabajo durante largo rato. Finalmente, el psicoanalista, que había estado callado todo el tiempo, le dijo:

—¿Ha venido aquí para contarme esto?

Carlos Rodó estaba sentado frente a un hombre mayor, separado de él por una mesa de color oscuro.

—No —respondió—. La verdad es que estoy perdido con un paciente difícil. Por eso he venido a verle a usted.

Carlos le contó al anciano el caso de Julio Orgaz.

—¿Y qué piensa usted de todo esto?

—Bueno, creo que mi paciente sabe que Laura es mi mujer. Está intentando ocupar mi lugar. Por otro lado...

—No me hable de lo que le pasa a su paciente. Hábleme de lo que le pasa a usted.

—Lo ignoro. Pero recuerdo perfectamente el momento en que me dijo que su Laura, la mujer del parque, era Laura, mi mujer. Creo que yo lo sabía ya desde mucho antes. Es más, creo que de alguna manera he ayudado a esta relación.

—¿Por qué?

—Porque es muy interesante para mí oír hablar de mi mujer a Julio Orgaz. Es bastante complicado. Mire, nunca ha habido en mi vida historias de pasión. A mí siempre me han interesado más otras cosas, mi profesión, sobre todo. Me casé, pues, con una mujer de quien no estaba demasiado enamorado, porque todo era más fácil así. Y la verdad es que todo iba muy bien, todo estaba en su sitio. Sin embargo, desde que Julio Orgaz empezó a hablarme de Laura, todo cambió. Oyéndole he empezado a enamorarme de mi propia mujer y necesito sus palabras.

–¿Le parece a usted serio todo esto? ¿Cree que un buen psicoanalista trabaja así? –preguntó el anciano.

–Ya se lo dijé al principio, he venido aquí porque necesito ayuda.

–¿Qué clase de ayuda?

–No lo sé.

–¿Recuerda cómo dejó su psicoanálisis? Yo no estaba de acuerdo con usted.

–Pero yo no era un paciente normal, era de la profesión también y podía dar mi opinión.

–Eso hizo. ¿Pero cree que hizo bien?

–Bien, de acuerdo. Tiene razón y por eso he venido. No sé qué hacer –dijo el doctor Rodó.

–Bueno –dijo el anciano con una vaga sonrisa– usted ya no es mi paciente y yo no soy su psicoanalista. Como usted sabe, ésa es una relación que, a veces, se rompe, y en nuestro caso se ha roto. De todas maneras, le doy un consejo. Vuelva a su análisis, que está sin terminar. Y mientras, piense en esta complicada relación. Usted dice que necesita a Julio porque le acerca a su mujer; dice que está enamorado de ella, pero lo que yo he oído es que está enamorado de su paciente. Porque se parece a usted; su paciente es su espejo.

Carlos salió de la consulta enfadado consigo mismo por haber ido allí a pedir ayuda. Le estaba empezando a doler la cabeza. Tomó dos pastillas de algo.

Era martes, esa tarde tenía una cita con Julio Orgaz.

XIII

Julio se sentó en el sofá de su psicoanalista…

—¡Qué vida tan complicada! —dijo— El domingo pasado estuvo Laura en mi casa; comimos, hicimos el amor, y finalmente, maté a mi pájaro, que se había puesto a cantar «La Internacional». Al final, a Laura le entró angustia y salió corriendo de mi casa. No sé qué vamos a hacer. Empiezo a pensar que esto no conduce a ninguna parte.

—¿Hacia dónde cree usted que debía conducir? —preguntó Carlos Rodó.

—Pues no sé, pero creo que puede conducirnos al vacío, a la nada. Ayer trabajé mucho en la oficina; escribí un informe[45] difícil, sobre un libro de un joven autor.

—¿Qué tenía de difícil?

—Era necesario decir que el libro era bueno, pero al mismo tiempo, explicar que no se debía publicar. No me pregunte por qué.

—No se lo he preguntado.

—Bueno, quizá me lo he preguntado yo. Es que escribí un informe buenísimo; y pensé que debía escribir así de bien mis novelas.

—¿Qué novelas?

—Las novelas que no he escrito, claro. Para mí, sin embargo, esas novelas existen de alguna manera. Damos demasiada importancia a lo que ocurre o parece ocurrir en la vida de todos los días. Usted, por ejemplo, se cree que es mi psicoanalista y yo me creo que soy su paciente; mi secretaria se cree que yo soy su jefe y yo me creo que ella es mi secretaria. Laura se cree que para mí es Laura, cuando en realidad es Teresa. Y así vivimos y las cosas funcionan, y funcionan de tal manera que todos creemos que ocurren unas después de otras y que las primeras son causa de las segundas. Pero no es así. Lo cierto es que su lugar y el mío, por poner un ejemplo, pueden cambiarse el uno por el otro.

Julio se calló y levantando un poco la cabeza empezó a mirarse los zapatos. Estuvieron en silencio varios minutos. Finalmente, habló el psicoanalista:

—¿A dónde quería llegar con sus palabras?

—A que las cosas no van a ningún sitio.

—¿Como su relación con Laura?

—Eso es, como mi historia con Laura. El domingo pasó lo que pasó, y ella ya no era Teresa, pero puede volver a serlo. La verdad es que eso no lo puede decidir ella ni yo tampoco.

—¿Quién entonces?

—Pues, ahí está la importancia de ese lado de la realidad que no podemos ver. En fin, intentaré explicárselo: yo me enamoro de las mujeres pensando que tienen algo que yo no tengo. Todas las mujeres que miro parecen guardar algo mío; a veces me enamoro de una de ellas. Por supuesto, ellas ignoran que tienen algo mío. Igualmente, Laura ignora que Teresa vive en sus ojos o en su voz, en fin, en la manera de mover su pelo por mi pecho.

—¿Sabe usted qué es un delirio?

—Es que es así. ¡Ah! ¿Sabe? El sábado me vino a la cabeza una idea para una novela donde usted es uno de los personajes. Ya he empezado a escribirla. Es la historia de un hombre como yo que va a un psicoanalista como usted, y se enamora de una mujer como Laura. Finalmente, Laura es la mujer del psicoanalista, es decir, de usted. Hay varias posibilidades para terminar la historia.

—¿Cuáles? —preguntó Carlos Rodó con una voz menos fría que de costumbre.

Julio le explicó las cuatro posibilidades en las que había pensado. Carlos Rodó dijo:

—Creo que ha olvidado una posibilidad.

—¿Cuál?

—El psicoanalista y su mujer saben qué ocurre; el paciente, no.

—¡Bah!, esa solución no me gusta, porque yo soy el escritor y además, el personaje más importante; comprenderá que no iba a dejarme en ese lugar de idiota. Además, la situación no funcionaría. Un buen psicoanalista, como usted, que se parece bastante a mi personaje, no podría jugar así con un paciente. Una situación como ésa sería posible en la vida real, pero nunca en una novela. En una novela, parecerían falsos.

—¿Cuál de las posibilidades ha elegido?

—Ahí está el problema, que todas están bien para empezar, pero ninguna conduce a ningún sitio.

—Parece que hoy nada conduce a ningún lugar.

—El caso es que hay una solución que no quiero usar. Porque no tengo ganas, la verdad, de meterme en una novela policiaca.

—¿Cuál es esa solución? —preguntó Carlos Rodó.

—Un crimen.

—¿Qué clase de crimen?

—Un crimen perfecto para los amantes.

—Entonces, el muerto soy yo —dijo Carlos Rodó.

—Gracias por ayudarme en mi trabajo como escritor, doctor.

—Entonces, usted cree de verdad que es escritor.

—Sí, doctor, ya se lo dije. Ser escritor es asunto de carácter; el mejor escritor es el que no escribe una sola línea en toda su vida: así no corre el peligro de hacer mal lo que más le importa.

—En otras ocasiones ha hablado usted de esto de una manera muy distinta, parecía más preocupado por no poder escribir.

—Es que hoy estoy de buen humor.

—¿Por qué?

—No lo sé, quizá porque he empezado esa novela, o porque creo que algo va a ocurrir. Quizá también porque luego iré al parque, veré a Laura; y me daré cuenta, tal vez, de que ya no estoy enamorado.

—¿Se sentirá libre entonces?

—Creo que sí; así podré escribir mi novela. No es posible escribir y vivir al mismo tiempo, ser escritor y personaje de novela a la vez.

—¿Por qué?

—No lo sé. Es así.

—Y dígame. ¿Qué importancia tiene el lector en todo esto? Casi no ha hablado de él.

—De todos, el lector es quien más pierde. Se lo digo yo, que he sido lector en muchísimas novelas.

—¿Y qué pierde el lector?

—El tiempo y la inocencia[46]. ¡Qué vida!

—Bien —dijo Carlos Rodó—, hemos terminado por hoy. Pero permítame un consejo: el viernes, sea más serio; no venga como hoy a jugar con las palabras para esconderse detrás de ellas y no hablar de lo que es importante de verdad.

XIV

CUANDO Julio salió a la calle, el sol se había escondido y el cielo era como un techo de nubes. Sin embargo, el aire era seco y no llovía. Entró en el parque, pero Laura no estaba. Poco después, salió del parque pensando que seguía enamorado de aquella mujer.

Su secretaria le había dejado un papel sobre la mesa: «El gran jefe ha llamado, quiere verte. Besos. Rosa».

Fue al despacho del director.

—¿Qué querías? —le preguntó en seguida.

El director abrió un cajón y sacó de él el original de Orlando Azcárate, con el informe de Julio.

—Creí que me habías entendido el otro día. Este libro se va a publicar. La orden viene de arriba.

Julio guardó silencio unos segundos y dijo:

—No hay ningún problema. En mi informe puedes ver que no hablo mal del libro. Sin embargo, los aspectos comerciales me preocupan un poco.

—Pues nada, que no te preocupen. Toma el informe y cámbialo. Y házlo más claro, por favor. Piensa que yo no te he dicho nada. Para la editorial, esto lo decides tú.

—De acuerdo —dijo Julio.

Salió de la oficina a las siete. Cuando iba hacia su coche, alguien le llamó. Era un hombre de su edad. Había perdido el pelo, pero tenía aspecto de hombre joven. Vestía pantalones vaqueros, una camisa de colores y una chaqueta blanca bastante arrugada; los zapatos eran amarillos.

Era Ricardo Mella, un antiguo compañero de escuela que había publicado algunas novelas de aventuras. En las cafeterías de los alrededores no había mesas libres para tomar una copa. Entonces Ricardo Mella propuso:

—Mira, nos vamos a mi casa. Vivo a un minuto de aquí.

La casa era muy grande y estaba llena de objetos de arte traídos de África y América del Sur. Una mujer y un joven de quince o dieciséis años jugaban sobre una alfombra situada en el centro del salón. La mujer era rubia, de ojos pequeños y vivos. Era guapa para su edad.

—Mi mujer, Laura, y el hijo de mi mujer —dijo Ricardo Mella.

Julio y su compañero fueron a la cocina. Ricardo abrió un armario de donde sacó unos sobres pequeños. Dijo:

—Se pasan el tiempo jugando a las cartas. Nosostros vamos a hacer algo mejor. Mira, coca[47], traída de Colombia.

Ricardo explicó a su amigo cómo se tomaba y los dos callaron un rato. Luego habló Julio:

—Me gusta mucho tu mujer.

—Puede volver locos a mil hombres, es esa clase de mujer. Yo he intentado tener una amante, pero no puedo.

—¿Por qué?

—Porque ella tiene algo que no tienen las otras.

Se sentaron y Ricardo Mella sirvió un par de whiskys.

—Tengo algo aquí detrás —dijo tocándose la cabeza— que ya verás cómo va a ser un cáncer.

—¿Un cáncer de qué? —preguntó Julio.

—Un cáncer de plástico, que son los más limpios.

Se rieron y volvieron a guardar silencio. Los dos parecían encontrarse muy bien juntos. Julio miró a su alrededor y preguntó:

—Oye, ¿de dónde sacas el dinero para vivir así?

—Bah, de aquí y de allá. Ahora tengo poco dinero, pero pienso acabar una novela. Después me iré a la selva[48] un tiempo.

—¿Con tu mujer?

—No, ella se queda aquí. Se cree que soy Hemingway.

—Ten cuidado.

—¿Por qué?

—No es posible tener tantísimas cosas buenas sin pagar por ello.

Ricardo Mella pensó en las palabras de Julio y dijo:

—Tienes un carácter muy católico. Por eso no has llegado a escribir.

—Ahora estoy enamorado —dijo Julio—. Si tengo suerte, escribiré una novela.

—El amor no es bueno para escribir novelas.

—¿Te acuerdas de «La Internacional»? —preguntó Julio.

—Claro, la cantábamos mucho, pero ya no la oigo.

—Yo sí, pero ahora me da igual.

Cuando se despidieron, Ricardo Mella regaló a Julio su chaqueta moderna.

Ya era de noche. Julio anduvo hacia el garaje de la editorial, situado dos calles más arriba. Sintió que algo iba a ocurrir. El marido de Laura iba a morir y él iba a estar con Laura el resto de su vida. Me llevaré a mi hijo —pensó—, así Inés tendrá un hermano mayor.

Entró en el piso y oyó el teléfono.

—Soy yo, dígame —dijo Julio.

—Julio, soy yo, Laura. Te he llamado varias veces.

—No estaba aquí, todavía no puedo estar en varios lugares al mismo tiempo. ¿Sabes? Pienso en ti. Quiero que vivamos juntos y que nos llevemos a mi hijo con nosotros. Por Inés lo digo.

—Yo también quiero estar contigo, Julio. Pero tenemos que esperar. Por eso no he ido al parque.

—Quería decirte que yo no maté al pájaro...

—Oye, tengo que colgar. No te preocupes, Julio, y no intentes verme. Yo te llamaré. Un beso, un beso muy fuerte.

—Adiós, mi vida.

Laura ya había colgado, Julio se sentó en el sofá para observar al escritor imaginario que escribía una novela suya llamada *El desorden de tu nombre*.

XV

MIENTRAS limpiaba los platos, Laura preguntó a su marido...

–¿También esta noche vas a quedarte a trabajar?

–Sí –respondió él–. Tengo que terminar ese informe.

Carlos Rodó cogió un par de vasos y los llevó a la cocina.

–¿Y por qué no te quedas aquí? En el salón estarás bien.

–Trabajo mejor en la consulta.

–Súbete, si quieres. Te preparo café como ayer y dentro de un rato te lo llevo.

–¿Y si se despierta la niña?

–No es más que subir y bajar.

Hubo un silencio y Carlos Rodó preguntó poco seguro:

–¿Estás mejor estos días?

–Sí, estoy menos nerviosa. Es que la casa cansa mucho. No te preocupes.

Carlos Rodó entró en el cuarto de baño y del armario situado encima del lavabo sacó unas pastillas que se tomó con un poco de agua. Allí mismo se puso ropa cómoda y después de ver cinco minutos de televisión al lado de su mujer, subió a trabajar.

La madre de Laura llamó entonces.

–¿Qué haces, hija?

–Nada, estaba viendo la televisión.

–¿Y Carlos?

–Está arriba, en la consulta, trabajando.

–Pobre... con todos los problemas que tiene...

–¿Qué quieres decir?

–Pues, que no estáis bien.

–No empieces, mamá.

–Dime la verdad, ¿hay otro hombre?

–Qué dices, yo no tengo tiempo para eso.

Terminaron la conversación y Laura fue a la cocina; apagó el fuego donde se estaba calentando el café. Se dio cuenta de que no tenía ningún sentimiento de culpa. Cogió una botella de leche y echó una parte, después el azúcar y el café. Finalmente, fue al baño y puso algunas pastillas de color azul. Observó el sueño de su hija, cogió las llaves y subió a la consulta.

–Tómalo poco a poco –dijo Laura a su marido.

Volvió al piso. Sacó el diario y escribió:

Todo se puede hacer, pero no todo está permitido. Entre lo prohibido y lo permitido (es decir, entre lo «perhibido» y lo «promitido») hay una distancia. A veces, la distancia desaparece como el veneno[49] *en el café (o como el «caneno» en el «vefé»).*

Después fue a su habitación y se quitó el vestido. Se acostó desnuda con una extraña sonrisa.

*Julio se presentó el jueves en la oficina con unos pantalones vaque-
ros, una camisa azul y la chaqueta arrugada de Ricardo Mella.
Llamó a su secretaria.*

XVI

JULIO se presentó el jueves en la oficina con unos pantalones vaqueros, una camisa azul y la chaqueta arrugada de Ricardo Mella.

Llamó a su secretaria.

–Siéntate –le dijo.

Rosa se sentó al otro lado de la mesa. Parecía que tenía miedo de mirar a su jefe.

–¿Te gusta mi chaqueta?

–Es un cambio muy fuerte.

–¿Sabes, Rosa? He estado escribiendo toda la noche, una novela.

–¿Cómo se llama?

–*El desorden de tu nombre*.

–Es muy bonito. ¿La terminarás pronto?

–No sé. La historia es complicada. Bueno, mira –siguió, cambiando la voz–, coge este papel y escribe; haz una carta proponiendo la publicación de estos libros.

–Vale. Tienes una llamada del jefe. ¿Te lo paso?

–No, no, déjalo para mañana. Di que estoy ocupado.

Pasó dos horas trabajando. Luego Rosa le comunicó que el director quería verle.

El director, que estaba con el presidente del grupo editorial, se asustó cuando vio entrar a Julio vestido de aquella manera. El presidente, sin embargo, se acercó a él, le dio la mano y le dijo:

—¡Al fin alguien en esta empresa no va vestido de gris! Eso es. Necesitamos más gente así. Gente con nuevas ideas, con nuevas maneras de vestir. En fin, Julio, ya te habló el director del nuevo puesto que habíamos pensado para ti. Sin embargo, creo que serás más útil como subdirector.

Julio miró a su director general y observó la sorpresa de éste. Un año más, pensó, y me sentaré en tu sillón. Después miró a su presidente y, sin dar las gracias, dijo muy serio:

—La verdad es que una de las primeras cosas que tenemos que hacer es ver qué publicamos. Estoy pensando, por ejemplo, en el libro de Orlando Azcárate. No está mal, pero es un autor demasiado joven y en estos momentos difíciles...

—Estoy totalmente de acuerdo contigo, Julio —siguió el director—. Ayer me llevé el original a casa para leerlo. Y no, tiene su interés, pero no es bastante bueno para nuestra editorial.

Julio no se sorprendió. Había pensado varias veces que la idea de publicar el libro de Orlando Azcárate era del director y no del presidente.

Estuvieron hablando todavía una hora más, pero no se dijeron cosas importantes. Después Julio pasó por su despacho para dar la buena noticia a su secretaria y se marchó a comer. Se sentía muy contento y seguro de sí mismo. «Adiós, Azcárate, Orlando, métete en un armario y piérdete entre sus cajones» —dijo para sí.

Comió en un restaurante caro, cerca de la editorial, y se tomó tres cafés y dos copas. No tenía ganas de volver a la oficina y decidió, de repente, hacer una visita a Ricardo Mella.

—Hola —dijo Julio.

—Hola —dijo la mujer.

—¿Está Ricardo?

—¿Ricardo? No, se ha ido a la selva.

—¿A qué selva? —preguntó.

—No sé —dijo ella—, a una que hay en Guatemala, me parece. Nunca lo dice.

—No me creo la historia de la selva.

—Pero él me ha dicho que diga eso a los amigos.

—Yo no soy amigo.

—Bueno, pues si tú no eres amigo, puedes saberlo. Está en un hospital, la enfermedad no tiene solución.

La mujer escondió su cara entre las manos, lloró despacio, como una niña.

Julio salió de la casa y pensó que tenía suerte, pues no era él el enfermo.

XVII

AL día siguiente era viernes y Julio se levantó de la cama sin sueño. Estaba de muy buen humor pensando en su cita con el psicoanalista; hoy tenía mucho que contarle. También iba a intentar ver a Laura. «Me dijo que no podíamos vernos, pero da igual; después me pasaré por el parque para ver si tengo suerte y la veo» –se dijo.

Pasó la mañana eligiendo los muebles para su nuevo despacho de subdirector. Comió un sándwich con un par de cervezas en una cafetería de Príncipe de Vergara y fue a ver al doctor Rodó.

El doctor Rodó no estaba en la consulta. Solamente había un hombre que le dijo que el doctor había muerto durante la noche del martes, de un infarto. «Como el canario» –pensó Julio.

Julio se marchó y fue a su piso esperando una llamada de Laura. Hacía calor y se sirvió un whisky con mucho hielo. Después se sentó a la mesa de trabajo y escribió: *El desorden de tu nombre*, novela original de Julio Orgaz.

Bueno, bueno, entonces el psicoanalista se muere; eso pone más fáciles las cosas. Iba a empezar a escribir cuando oyó el teléfono. Era Laura.

—Julio, ha muerto mi marido.

—Se están muriendo todos —respondió Julio—. Ricardo Mella, mi psicoanalista, ahora tu marido. Lo siento, pero me parece una buena noticia.

—Julio, no puedo hablar mucho, están por aquí mi madre y la niña. Escucha, ven esta noche, sobre las once y media, que Inés ya estará dormida. Te lo contaré todo entonces.

Julio escribió la dirección que le daba Laura sin darse cuenta de que era la misma que la de su psicoanalista.

Pasó la tarde acostado en el sofá y se quedó dormido observando al escritor imaginario (él mismo), que contaba con todo detalle la historia de *El desorden de tu nombre*. Al psicoanalista lo matan entre el paciente y la mujer, dijo antes de caer en un profundo sueño. Se despertó a las diez, se puso rápidamente la chaqueta moderna de Ricardo Mella y salió.

Llegó a las once y media al portal de Laura, al portal de su psicoanalista. Algo raro está pasando —pensó mientras subía en el ascensor.

Laura le dio un largo beso y le hizo pasar al salón.

Se sentaron y se miraron. Laura estaba un poco pálida y muy guapa, sonreía. Ninguno de los dos hablaba. Entonces Laura se levantó y le dio el diario a Julio.

—Lee lo último que he escrito. Ahí está todo.

Julio lo leyó y poco a poco supo lo que ya sabía: que Laura era la mujer de Carlos Rodó, pero que —enamorada como estaba de Julio— había decidido matarle.

—Ahora todo está solucionado, mi amor. No hay peligro. El médico sabía que Carlos tomaba demasiadas pastillas. Es amigo nuestro y en su informe sólo dice que se le paró el corazón.

Julio veía con sorpresa y con un cierto miedo que la vida servía a sus intereses con toda facilidad. Se quedó pensando unos segundos más y dijo:

—Pero es lo mismo que pasaba en mi novela, en *El desorden de tu nombre*.

—Es que esta historia nuestra, amor, es como una novela —dijo ella sencillamente.

—Qué fácil es matar.

—Cuando se mata por amor —terminó ella.

Pasaron la noche hablando pero sin tocarse.

—Ahora tienes que irte, no quiero que te vea la niña. Puede despertarse. Tenemos toda la vida por delante.

—Toda la vida, amor, la nuestra y la de los otros.

Cuando salió a la calle, pensó, pero qué amor, qué amor el de Laura y el mío. Y qué novela.

Cuando llegó al portal de su casa, el hombre que limpiaba la calle estaba cantando algo. Julio se acercó a él.

—Perdone, ¿qué canta? —le preguntó.

—«La Internacional», señor —contestó el otro.

Julio sonrió. Abrió el portal y entró en el ascensor. Estaba seguro de que en la mesa de trabajo iba a encontrar una novela terminada, *El desorden de tu nombre*.

SOBRE LA LECTURA

Para comprobar la comprensión

I

1. ¿A dónde va Julio Orgaz los martes y los viernes?
2. ¿Quién es Laura? ¿Qué siente Julio por ella?

II

3. ¿Qué relación parece tener Julio con su canario?
4. ¿Por qué empezó Julio a ir a un psicoanalista?

III

5. Cuando se queda sola, ¿qué hace Laura?
6. ¿Qué siente Laura por Carlos?

IV

7. ¿Por qué decide Julio, todavía enfermo, volver a la oficina?
8. Julio recibe tres llamadas de teléfono. ¿De quién?

V

9. ¿Con quién está hablando Julio?
10. ¿Por qué quiere escribir Julio Orgaz?

VI

11. *¿Cómo se siente Julio después de salir de la consulta?*
12. *Cuando se da cuenta de que el psicoanalista de Julio es su marido ¿cómo reacciona Laura?*

VII

13. *¿Sabe Rodó que Julio Orgaz es el amante de su mujer?*

VIII

14. *¿Qué relación tiene Julio con su hijo?*
15. *¿Sabe Julio que Laura es la mujer de su psicoanalista?*
16. *¿Quién es Orlando Azcárate?*

IX

17. *Julio piensa en cuatro posibilidades para su novela. Hay otra, que olvida. ¿Cuál?*
18. *¿Por qué a Julio no le ha gustado el joven?*

X

19. *Carlos quiere acercarse a su mujer de nuevo. ¿Lo consigue?*

XI

20. *¿Cómo muere el canario de Julio?*
21. *¿Cómo se siente Laura a lo largo de toda la tarde?*

XII

22. *¿Qué le proponen a Carlos Rodó los hombres con quienes tenía una cita?*

23. *¿Ayuda su psicoanalista a Carlos Rodó? ¿Por qué?*

24. *¿Cómo se siente Carlos Rodó cuando sale de la consulta?*

XIII

25. *¿Además de Laura, en qué otra mujer está pensando Julio?*

26. *¿Es muy clara para Julio Orgaz la diferencia entre mundo real y mundo imaginario?*

27. *A veces Julio parece creer que lo entiende todo mejor que nadie. ¿Es así realmente?*

28. *¿Qué posibilidad le sugiere el psicoanalista para terminar la novela? ¿Qué piensa Julio de este final?*

XIV

29. *¿Le gustó al director de la editorial el informe de Julio sobre el libro de Orlando Azcárate?*

30. *¿Quién es Ricardo Mella? ¿Qué problema tiene?*

XV

31. *En una conversación anterior entre Laura y su marido, los dos aparecían muy nerviosos. ¿Y ahora? ¿Por qué?*

XVI

32. *¿Qué noticia le da el presidente a Julio? ¿Conocía esta noticia el director?*
33. *¿Finalmente, publicará la editorial el libro de Orlando Azcárate? ¿De quién era la idea de publicarlo?*
34. *¿Qué pasó con Ricardo Mella? ¿Dónde está ahora?*

XVII

35. *¿Cuándo entiende Julio que su psicoanalista y el marido de Laura eran una misma persona?*
36. *¿Qué es lo primero que piensa Julio después?*
37. *¿Están solucionados todos los problemas mentales de Julio Orgaz? ¿En qué lo vemos?*

Para hablar en clase

1. *¿Qué le pareció a usted el personaje de Julio Orgaz?*
2. *Julio Orgaz y Carlos Rodó son dos personas que dan mucha importancia a la ambición profesional. ¿Qué le parece su manera de conseguir sus objetivos? ¿Qué importancia da usted a la vida profesional? ¿Y a la vida familiar?*
3. *¿Conoce usted las teorías del psicoanálisis? ¿Le parece, en general que pueden ayudar a resolver nuestros posibles problemas psicológicos?*
4. *¿Por qué se llama la novela* El desorden de tu nombre*?*

NOTAS

Estas notas proponen equivalencias o explicaciones que no pretenden agotar el significado de las palabras o expresiones siguientes sino aclararlas en el contexto de *El desorden de tu nombre*.

m.: masculino, *f.:* femenino, *inf.:* infinitivo.

El desorden de tu nombre: desorden *(m.)* significa confusión, alteración de lo normal, de lo correcto. Aquí, se refiere esencialmente al hecho de que en su imaginación el protagonista de la historia asimila y confunde a las mujeres amadas por él.

1 **consulta** *f.:* clínica, lugar donde el médico examina a sus enfermos.

2 **psicoanalista** *m.:* médico especializado en problemas mentales que trata a sus **pacientes** (ver nota 20) utilizando el **psicoanálisis**. El **psicoanálisis** *(m.)* es un método desarrollado a partir de las teorías del psiquiatra austriaco Sigmund Freud y basado en la investigación de los procesos mentales inconscientes.

consulta

3 **soledad** *f.:* hecho de estar o de sentirse solo.

4 **deseo** *m.:* acción y efecto de **desear**, o sea, de querer con fuerza algo; también, sentir atracción sexual por alguien.

5 **angustiado:** que siente **angustia** *(f.)*, es decir, un fuerte sentimiento de preocupación y miedo causado por un peligro real o imaginario.

jaula

6 **canario** *m.:* pequeño pájaro que es frecuente tener en las casas. Generalmente es amarillo, pero también puede ser verde, blanco o de otros colores; canta muy bien.

7 **jaula** *f.:* caja hecha con barrotes, generalmente de metal o madera, y que sirve para guardar o transportar animales.

8 **fiebre** *f.:* subida de la temperatura del cuerpo por encima de lo normal (por encima de 37 °C), como consecuencia de una enfermedad o problema de salud.

9 **imaginario** *m.:* que sólo existe en la mente o imaginación.

10 **novela** *f.:* obra literaria en prosa que cuenta una historia donde se presenta a unos personajes **imaginarios,** dando a conocer su carácter, sus aventuras, etc.

11 **cumpleaños** *m.:* día en el que se celebra el aniversario del nacimiento de una persona.

12 **se había separado** (*inf.:* **separarse**): había dejado de vivir con su mujer.

13 **produjo** (*inf.:* **producir**): fue causa de, tuvo como efecto o resultado algo.

14 **se había enamorado** (*inf.:* **enamorarse**): había empezado a sentir amor.

15 **admiración** *f.:* acción y efecto de **admirar,** considerar a una persona o cosa como de especial mérito: por ser capaz de hacer cosas importantes o difíciles, etc.

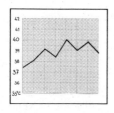

fiebre

16 **caricias** *f.:* demostraciones de cariño o amor que consisten en pasar la mano suavemente sobre una persona, un animal, etc. Hacer caricias es **acariciar**.

17 **amantes** *m.:* personas que mantienen habitualmente relaciones sexuales sin estar casadas.

18 **«La Internacional»:** himno de los partidos socialistas y comunistas del mundo.

19 **arrugado:** no liso, en este caso porque la prenda de vestir se ha usado y la tela tiene pequeñas dobladuras irregulares.

20 **pacientes** *m.:* personas enfermas que están en tratamiento con un médico.

21 **odio** *m.:* fuerte antipatía que una persona siente hacia otra, que lleva a desearle o causarle daño y a alegrarse de sus males.

22 **viuda** *f.:* mujer cuyo marido ha muerto.

23 **infarto** *f.:* crisis debida a que la sangre no llega al corazón y que puede provocar la muerte.

24 **diario** *m.:* pequeño libro o cuaderno donde una persona cuenta día a día lo que pasa en su propia vida o lo que piensa.

25 **infierno** *m.:* según ciertas religiones, lugar donde, después de muertas, las personas sufren penas eternas por no haber llevado una vida de acuerdo con las leyes de Dios; por comparación, lugar u ocasión de grandes dolores y sufrimientos.

26 **puesto** *m.:* aquí, función o cargo, categoría en el trabajo.

27 **original** *m.:* texto entregado por el autor a la **editorial** (ver nota 34).

28 **cuentos** *m.:* aquí, textos literarios cortos de historias más o menos fantásticas.

29 **despacho** *m.:* en una oficina, habitación donde trabajan una o varias personas.

30 **concurso** *m.:* prueba destinada a seleccionar entre varias personas a aquélla que presenta el mejor trabajo, recompensándola con un premio (dinero, título, etc.).

original

31 **se ha suicidado** (*inf.:* **suicidarse**): se ha matado voluntariamente.

32 **jurado** *m.:* conjunto de personas encargadas de decidir quién debe ser el ganador en un **concurso** (ver nota 30).

33 **envidia** *f.:* sentimiento negativo experimentado por la persona que sufre por la buena suerte o situación de otra, porque ésta tiene lo que ella no tiene.

despacho

34 **editorial** *f.:* empresa que hace y publica libros, revistas, periódicos, discos, etc.

35 **poder** *m.:* capacidad para hacer algo, en particular, decidir y mandar, fuerza para dominar a otros o influencia sobre otros. Estar **en poder de** una persona es estar dominado por ella o en situación de inferioridad.

pastillas

36 **justifica** (*inf.*: **justificar**): es la explicación, la razón de que algo no parezca extraño o inadecuado; aquí, da un significado, una razón de ser a la vida del protagonista.

37 **desprecio** *m.*: hecho de **despreciar** a una persona (o cosa), es decir de considerarla indigna de atención o estima.

38 **arrepentidos:** con preocupación por haber hecho una cosa que no se debía, con sentimiento de culpa.

39 **anfetaminas** *f.*: medicamento que tiene un efecto excitante sobre el sistema nervioso central; ciertas personas lo emplean como droga estimulante.

40 **pastillas** *f.*: piezas pequeñas con sustancias medicinales, generalmente redondas y que se toman por la boca.

41 **ignorar:** aquí, no prestar atención a alguien; en los capítulos siguientes, no saber alguna cosa.

42 **ramas** *f.*: cada una de las partes que nacen del tronco (parte principal) de un árbol y en las cuales crecen las hojas, flores y frutos, si los tienen.

43 **vodevil** *m.*: del francés *vaudeville*, palabra con que se designa un género de comedia ligera que suele presentar divertidas aventuras amorosas con numerosas sorpresas.

44 **delirio** *m.*: estado de un enfermo que ve imágenes, tiene ideas o dice cosas que no están de acuerdo con la realidad.

rama

45 **informe** *m.:* conjunto de informaciones y de opiniones que se da, generalmente por escrito, sobre una persona o cosa determinada.

46 **inocencia** *f.:* estado de la persona que no tiene culpa, que no conoce el mal.

47 **coca** *f.:* aquí, **cocaína**: sustancia fabricada a partir de la coca, planta originaria del Perú, y que se toma como medicamento o droga.

48 **selva** *f.:* jungla, bosque ecuatorial y tropical caracterizado por la abundancia y la variedad de árboles y plantas, poblado de animales salvajes.

49 **veneno** *m.:* sustancia tóxica que, introducida en un organismo, puede producir graves daños a la salud e incluso la muerte.

veneno